concepción gráfica
y diseño de la colección:
Claret Serrahima

Primera edición: octubre de 1997

Consejo editorial: Josep M. Aloy, Xavier Blanch, Romà Dòria,
Mercè Escardó, Jesús Giralt, Marta Luna, Claret Serrahima

Maquetación: Montserrat Estévez
Producción: Francesc Villaubí

© **Josep Vallverdú**, 1997, por la adaptación
© **Pep Montserrat**, 1997, por las ilustraciones
© **La Galera, S.A. Editorial**, 1997, por la edición en lengua castellana

Asesoramiento literario: Mercè Escardó i Bas
Edición y coordinación editorial: Xavier Carrasco
Dirección editorial: Xavier Blanch

La Galera, S.A. Editorial
Diputació, 250 – 08007 Barcelona
www.enciclopedia-cat.com
Impreso por Índice, S.L.
Fluvià, 81 – 08019 Barcelona

Depósito Legal: B. 39.496-1997
Printed in Spain
ISBN 84-246-1961-7

laGalera popular

Aladino y la lámpara maravillosa

cuento de *Las mil y una noches*

adaptación de Josep Vallverdú

versión castellana de Susanna Esquerdo

ilustraciones de Pep Montserrat

Aladino era un chiquillo travieso que rondaba a todas horas por las calles y las plazas de su ciudad. Su padre murió sin poder ver a su hijo trabajando en un oficio de provecho. Madre viuda e hijo travieso, así empieza la historia.

Un mago de un país lejano descubrió que Aladino podría llegar a ser dueño de un gran tesoro, y quiso conseguirlo antes que él.

Se hizo pasar por tío del muchacho y, tanto Aladino como su madre, le creyeron. Les hizo creer que quería dar un oficio a Aladino, le compró vestidos y se lo llevó a un lugar alejado en la montaña, donde sabía que encontraría el tesoro.

El mago entonó unos conjuros y la tierra se abrió. Entonces, dio a Aladino un anillo protector y le obligó a bajar al fondo de aquel pozo.

—Recoge una lámpara que encontrarás allá abajo —le dijo.

Aladino vio que el pozo estaba repleto de joyas y se entretuvo un buen rato recogiendo gemas. Enfurecido, el mago le dijo:

—¿No quieres subir? Pues te vas a quedar ahí para siempre.

Y con otro conjuro hizo que la tierra volviera a cerrarse.

En el fondo de aquel pozo, Aladino estaba condenado
a morir, olvidado de todos, aunque se desgañitara gritando.
Por suerte se acordó del anillo protector, lo frotó y se le
apareció un gigante con voz de trueno:

— Soy tu esclavo. Ordéname lo que desees, mi amo.

— ¿Puedes sacarme de este pozo?

¡Paf! Ya estaba en la superficie, con la lámpara y las
piedras preciosas.

Menos mal! Aladino corrió a explicar a su madre la traición del falso tío y, cuando se quedó solo, se puso a frotar la lámpara para limpiarla. En ese instante, empezó a salir una humareda que se transformó en un genio.

— Soy tu sirviente, mi amo —se ofreció.

"¡Caramba!", pensó Aladino, "¡otro criado!"

— ¡Tengo hambre! —exclamó el muchacho.

Y, en un santiamén, aparecieron tantos manjares que parecía que nunca iban a acabarse, ¡y todos servidos en platos de oro! La madre de Aladino estaba maravillada.

Aladino vendió la mesa y los platos, y con el dinero que consiguió pudo comprar de todo. Ahora eran ricos.

Un día, Aladino vio a la hija del rey y se enamoró locamente de ella. Su madre no podía quitarle de la cabeza la idea fija de casarse con la muchacha.

— ¿No te das cuenta de que la princesa no es para ti?

— Espera y verás —respondió, decidido, el chico.

Llenó una bandeja de joyas y le pidió a su madre que se la llevara al rey como embajada de Aladino, el rico.

El visir, ministro real, quería que la princesa se casara con su hijo y, temiendo que Aladino cautivase con tesoros la voluntad del monarca y dejase sus propósitos en agua de borrajas, mandó celebrar enseguida la boda de su hijo con la princesa.

✸ ¿Conque sí, eh? —se dijo Aladino. Frotó la lámpara y el genio volvió a pedirle órdenes.— Tráeme a la princesa y al novio, aunque estén en la cama.

Y, dicho y hecho, se los llevó volando por los aires. Cuando los tuvo ante sí, Aladino mandó que el genio encerrase al novio en un cuartucho y se tumbó, sin tocarla, junto a la atónita princesa.

Y este mismo suceso se repitió dos noches. Al final, la hija del rey, todavía sorprendida, se lo contó todo a su padre.

El rey puso guardianes ante el cuarto nupcial, pero el genio se llevó igualmente cama y pareja. El rey, enojado y desconcertado, anuló la boda.

—¡Ya está bien de tonterías! —decretó.

Aladino, diligente, preparó cuarenta platos de joyas y ochenta esclavos, y envió a su madre a presentarlos a palacio. El rey aceptó a Aladino como yerno y llamó a su hija:

—Hija mía, mira qué regalos trae tu nuevo novio. No existe otro como él.

Entretanto, el genio estaba bañando y perfumando a Aladino. Cuando estuvo listo, montado en un caballo blanco y seguido de una fastuosa comitiva, cabalgó hasta la entrada de las salas de palacio, más enamorado que nunca.

Al verlo vestido con aquellas ropas de gran señor, la princesa no lo reconoció y aceptó casarse con él.

Aladino prometió al rey que construiría un gran alcázar, el más grandioso del universo, donde viviría con su esposa. Y el genio lo levantó en una sola noche, para admiración del rey.

Después de un gran banquete en palacio, con torneos en los que Aladino resultó vencedor, el rey condujo a la novia hasta el alcázar. Y allí, junto a Aladino, conoció la felicidad.

Pero veréis: aquel mago que había regresado a su lejano país después de tapar el pozo, se enteró de que Aladino aún vivía. Y preparó su venganza.

Fue a la ciudad de Aladino y se hizo pasar por un mercader que cambiaba lámparas antiguas por nuevas. Una criada de la princesa, creyendo que la lámpara de Aladino no servía para nada, se la llevó al falso comerciante. El mago la frotó sin perder un instante y ordenó al genio que trasladase el fastuoso alcázar, con la princesa dentro, hasta su país.

Cuando el rey y el visir se dieron cuenta de que el alcázar había desaparecido creyeron que Aladino, que había salido a cazar, los había engañado. Mandaron que lo arrestaran y lo encarcelaran.

¡Por suerte, aún llevaba el anillo protector! Aladino hizo aparecer al primer gigante que, obedeciendo sus órdenes, lo transportó hasta el país del mago. Allí, el muchacho consiguió colarse en el alcázar, donde se encontró de nuevo con la princesa.

La princesa lo recibió conmovida, porque el mago, que la quería para él, le había dicho que Aladino había muerto.

— Mira —le dijo Aladino—, a la hora de la cena echa estos polvos para dormir en la copa del mago.

Y bastó el primer sorbo para que el mago se quedara profundamente dormido. Aladino se apresuró a frotar la lámpara para que el genio apareciese.

—¿Qué deseas, mi amo? —dijo el genio.

— Devuelve el alcázar a su sitio —le ordenó Aladino.

Y así lo hizo. En un abrir y cerrar de ojos, el alcázar relucía de nuevo coronando con sus almenas la ciudad.

El rey recuperó hija y dicha y Aladino compartió para siempre la felicidad con la princesa.

1. Caperucita Roja
2. El gigante del Pino
3. Los cuatro amigos
4. Cabellos de Oro
5. El león y el ratón
6. Los siete chivitos y el lobo
7. El sastrecillo valiente
8. La princesa y el guisante
9. El león y la zorra
10. La ratita presumida
11. La liebre y la tortuga
12. Los guisantes maravillosos
13. El lobo, el cerdito, el pato y la oca
14. Pituso
15. La zorra y la cigüeña
16. Villancicos
17. La princesa de la sal
18. El pez de oro
19. Los tres cerditos
20. El traje nuevo del emperador
21. Hansel y Gretel
22. Pinocho
23. El gato con botas
24. Poemas de Navidad
25. Alí Babá y los 40 ladrones
26. El soldadito de plomo
27. El enano saltarín
28. Cenicienta
29. Los músicos de Bremen
30. La bella durmiente
31. Aladino y la lámpara maravillosa
32. El patito feo
33. Blancanieves
34. El flautista de Hamelín

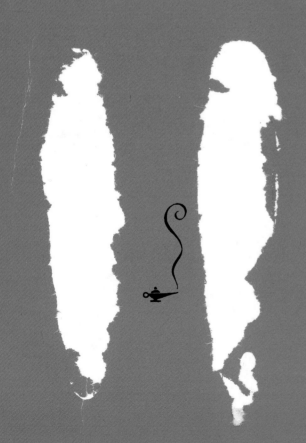